escanciador de pócimas

Steven F. White

# escanciador de pócimas

Colección Estruendomudo

© Steven F. White, 2003
http: //it.stlawu.edu/~swhite/index.htm
swhite@stlawu.edu
© Estruendomudo, 2003
Avda. Padre Piquer 35 – 7° B
28024 Madrid
estruendomudomadrid@hotmail.com


Producción: Dersú Produce
Diseño de cubierta: Dersú
Ilustración de cubierta: detalle del Panteón de Reyes de León,
Marcial el Escanciador
© Foto de contracubierta: Ruth Kreuzer
ISBN: 84-932235-8-1
Depósito Legal: M-22.744-2003
Fotocomposición y fotomecánica: Star-Color
Impresión: Anzos
Encuadernación: Méndez
Impreso en España / *Printed in Spain*

MAR CIALIS PINCERNA

*Quisiera agradecer el tremendo aporte estruendomudoso de Niall Binns y Viviana Paletta con las versiones en castellano de estos poemas.*

## thresholds

You remember an arch of stone,
a window that opens on sky,
a dark clearing and one firefly,
the lit edge of being alone.

When the plants spoke, the fear was new
and so was the frontier you crossed.
You were unlimited and lost,
and belonged to the not untrue.

## sin límites

Recuerdas un arco de piedra,
la ventana que da al cielo,
lo oscuro de un claro, una luciérnaga,
el filo iluminado de estar solo.

Las plantas hablantes te dieron
un miedo nuevo, también la frontera
que cruzaste sin límites, perdido,
tú, parte de lo no increíble.

## xochipilli

Prince of Flowers, your body made journey
is carved with botanical paths to song.
You plunge headfirst into a petalled state,
and yet again the now's roots are nourished
by a current that flows all ways at once.
How transparent hearts and faces become,
like glass blossoms on invisible stems.


The summer skies darken and the first drops
of rain begin to fall, each one guided
by a thing of wings to its destiny.
They always reach the multiple rhizomes
of that one now growing into this song.
I imagine your hands as being cupped
and your eyes far better equipped than mine
to measure angstroms and the stars' colors.
At crossroads of clear blood and oxygen,
you know revealing means to veil again.

## xochipilli

Príncipe de Flores, tu cuerpo hecho viaje
se labra de senderos botánicos hacia el canto.
Cabeza abajo te lanzas a un estado de pétalos
y de nuevo las raíces de ahora se nutren
de una corriente que fluye en todos los sentidos a la vez.
¡Son transparentes los corazones y rostros,
como flores de vidrio en tallos invisibles!

Los cielos del estío se oscurecen
y las gotas primeras de lluvia están cayendo
guiadas a su destino por un ente con alas.
Alcanzan siempre a los múltiples rizomas
del único presente que florece en este canto.
Imagino tus manos unidas como cuenco
y tus ojos mejor capacitados que los míos
para medir angstromios y los colores de los astros.
En el cruce de sangre clara y oxígeno,
sabes que revelar es velar de nuevo.

How often you've heard my «Take me with you!»
as you whoosh downward past my cells' windows.

As we make our way through gardens of trance,
words that will be and were bloom and wither.
There are always flowers under your feet,
because a god will walk on what opens.

I see a beak dripping with the present.
There is nothing as new as this day's light.
The dew from your leaves falls and wakes the dead.
Is it that each people wants its language
to be reborn where flowers never die?

Cuántas veces me has escuchado el «¡Llévame contigo!»
al desplomarte, sibilante, ante las ventanas de mis células.

Nos desplazamos por los jardines del trance
y las palabras que fueron y serán florecen y se marchitan.
Siempre hay flores debajo de tus pies,
porque un dios siempre pisará lo que se abre.

Veo el presente gotear del pico del ave.
Nada es tan nuevo como la luz de este día.
El rocío de tus hojas cae despertando a los muertos.
¿Es que cada pueblo quiere que su lengua
renazca donde las flores nunca mueren?

## green eyes

Green eyes that light the trees
Where a river-city flows.
Green eyes that bend the breeze
Wherever God's island goes.

Green eyes that help my sky
Regain its vision at night.
Green eyes that cannot die
In the dying of the light.

Green eyes that guide the sea
From cliffs of my missing days.
Green eyes that complete me
In the wholeness of your gaze.

## ojos verdes

Ojos verdes que son la luz en ramas
donde fluye una urbe hecha río.
Ojos verdes que curvan ya la brisa
por donde vaya esta isla de Dios.

Ojos verdes que a mi cielo ayudan
a recuperar su visión nocturna.
Ojos verdes incapaces de morir
en la agonía diaria de la luz.

Ojos verdes que conducen el mar
desde los acantilados de mis días.
Ojos verdes que logran completarme
con la entereza de tu mirada.

## the garden

We are the garden,
Unholy garden,
The paths of our unearthly delights.
Are we each other
To love each other
In the flowing rosaries of nights?


You can breathe that air
Without being there
When my flowers surface on your skin.
Your green days have eyes
To translate my skies
Into something both known and foreign.


*Ternura* grows here
With us in its sphere
And viable seeds of cruelties.

## el jardín

Somos el jardín,
el no bendito,
el de delicias irreales.
¿Eres tú quien soy
para amarnos
en noches de ríos-rosarios?


Se bebe el aire,
se es sin estar,
cuando brotan mis flores de tu piel.
Tus días verdes
traducen mi sol
a lo ajeno conocido.


En la esfera hay
ternura, tú y yo,
y semillas de la crueldad.

We are the garden,
The fragile garden,

Lovers, unbanishable species!

Somos el jardín,
el frágil jardín,

¡Amantes, especie sin exilio!

## «the sky lights its sapphire-dream...»

The sky lights its sapphire-dream
And the forest below turns blue.
Now heaven is pulsing green
Because the trees are dreaming, too.

## «el cielo enciende su sueño de zafiro...»

El cielo enciende su sueño de zafiro
y el bosque abajo azulea.
El firmamento palpita en verde
porque los árboles también sueñan.

## moly

When Hermes stole my black root from the ground
and offered the white flower of my face
to Ulysses so he would not be bound
by the enchanted prism of Circe's grace,
I was bitter that my nature was fixed
as the anti-herb of inquisition,
a rational solution to be mixed
and drunk like an immune supposition—
because I longed to give myself to her,
to know potions that unearth stars and spheres,
that reveal the sky as fields of millefleurs
and break my cycle as time disappears.
I am the unholy plant, unwilling
to block visions so men can keep killing.

## moly

Cuando Hermes arrancó mi raíz negra
y ofrendó la flor blanca de mi rostro
a Ulises para que él no sintiera
los hechizos del prisma de Circe,
me amargué de mi naturaleza
como antihierba de una inquisición,
un remedio racional, mezclada
y bebida como suposición inmune:
porque ansiaba entregarme a ella,
desenterrar las pócimas astrales,
tocar los campos floridos del cielo,
romper mi ciclo de tiempo visible.
Soy la planta rebelde reacia a obstruir
visiones de hombres que sólo quieren matar.

Like a rising tide, like emptying cities,
in the viscous possible, in the formless,
or the way a liquid whispers at the height of its column
before emerging with a sound independent from air,
awakened, vibrating, turning into whirlpool
with the same spiral as the shapes approaching
or receding or unseen,
and the smell of snakes that arrive on earth
then writhe from time's throat, infinitely still.


The whole thing so quick, so living,
and yet embedded, like a tree in the neophyte's lungs,
the swallowed smoke among branches, perhaps,
calling like the blue voice of the cure,
at peace, everywhere, and then
releasing the white vipers of extraction.
Where is it from anyway?  How did it get in?
The constant battles, the fear of loss, the power,

like the serpent that can steal it all from a rival's chest
or the colored cords that the Queen in her necklace
                                        [of thorns
pours into the kneeling healers' upturned mouths.


Which is why, in the numinous, opening, to know,
then, like the spirits of plants, within,
like the bee's stinger or sharp pathogens
or everything my sick flesh cannot understand,
in legions, in fears barely surfacing,
and human struggles, waves,
dark actions suddenly revealed
like vegetal darts and their breathing targets,
equatorial, for me as I go searching,
like without a weapon among the armed.


So, what is it made of, this harmony of rainbows
that there is between daybreak and space, like wet lips
                                        [at work?
That thunder already rumbling
which spreads, sowing its victims with animal shrapnel,

but when the white phlegm instead
rises from its secret place, uncoiling itself to wage war.

Inside the circle protected by circuits of color
once the great plants begin to speak
extending their generous vines and leaves,
into the material, into the longing for answers,
into oneness, ablaze in the reign of their song.

*(Homenaje interlingüe de contrapunto para una voz*
*y su eco)*

## cielo anaranjado

*Y siento como un eco del corazón del mundo*
*que penetra y conmueve mi propio corazón.*
Rubén Darío

Dicen que perros ladraban esa noche sin viento,
cuando la tierra murmuraba insomne
alguna cosa incontrolablemente oculta:
los primeros temblores de la melancolía.
Se estremeció la faz de piedra en la pesadilla
donde no era nadie sino nada,
mientras arriba se levantaban plegarias
entre las ruinas de la Segunda Venida.

¿Qué corazón ausculta este reino vacío
cuando la guerra asciende, iluminando la tierra?
El mío. El tiempo que vino vendrá
para aferrarme la tendida mano granítica:
vivir en ese borde apocalíptico
y a la hondura del abismo aliarme.

*(Diálogo bilingüe trunco)*

## extracting

The roots of the ficus tree are women
dancing and holding the night together.
The jar beside me fills with the healer's
work: sharp foreignness sucked from my body.
And there goes the last thorn that's left in me
while the color-shield of a mind-made wave
circles me, protects me from more projectiles.
I'm ready to trace arcs in dark heavens.

Two women reach from the sky and gather
the maladies extracted from my flesh.
The young one pricks my neck to remind me
that she's ready to re-embed the thorns
if her patient refuses to obey.
But then she deposits them in the lap
of her older self who blows until they're gone
and then the two rejoin the trance of roots.

Las raíces del renaco son mujeres
que bailan juntas, uniendo así la noche.
Este jarro se llena de la labor del curandero:
el filo de lo ajeno sorbido de mi cuerpo.
Sale por ahí la última espina que me queda
mientras el escudo colorido de ondas mentales
me rodea, me protege de los proyectiles.
Trazaré ahora arcos en cielos oscuros.

Desde lo alto dos mujeres extienden las manos
y recogen los males extraídos de la carne.
Al pincharme el cuello, la joven me recuerda
que está dispuesta a enterrar las espinas de nuevo
si su paciente se niega a obedecer.
Pero las deja en el regazo de su alma mayor
y ambas soplan la disolución vital
para luego sumirse a las raíces del trance.

## the cure

And then the skilled physicians come
as birds treating me with their beaks,
opening me to the sky's door,
then feeding on scissor-headed
insects teeming from cut landscapes.
Exoskeletons, antennae,
some feathers, bird tracks and the trance
vanished in a tempest of wings.

## la cura

Y entonces llegan los médicos expertos
como aves, tratándome con sus picos,
abriéndome a la puerta del cielo,
alimentándose de insectos que pululan
por paisajes recortados con sus cabezas de tijera.
Caparazones, antenas,
algunas plumas, huellas y el trance,
todo se desvaneció en una tormenta de alas.

A few drops in the mind, one rivulet,
and the world opens: transculturation.
Spirits awaken in trees, the mothers
of plants are rehearsing their vocal cords,
then a hand translates itself into claw
and fins are now fingers that write «river».
A current of voices is flowing past
those who drank of bitterness and jungle,
smoothing them in infinite becoming.

## corriente

Unas cuantas gotas en la mente, un riachuelo,
y se abre el mundo: la transculturación.
Espíritus se despiertan en árboles, las madres
de las plantas ensayan sus cuerdas vocales,
luego una mano se traduce en garra
y aletas, ahora dedos, escriben «río».
Una corriente de voces pasa en su flujo
a los que bebieron de la selva amarga,
alisándoles en su devenir infinito.

## above and below the falls

Somewhere the leaves illuminate the dark
as if they were filled with a healer's blood.
Somewhere every sound of the jungle
makes not a lullaby but a warsong
above the falls of all that came to dance
and hear decrees of the right to survive.

Somewhere is the *batelão* with steel bow
moored below the falls and the petroglyphs.
The crew in white disembarks in the night
into whatever mind can receive them,
into crystalline realms of well-being,
into the lobes of the flowering vine.

## más allá y por debajo de la catarata

Por ahí donde las hojas iluminan la oscuridad
como si estuvieran llenas de sangre de curandero,
donde todos los sonidos de la selva
no conforman nanas sino cantos de guerra,
más allá de la catarata de todo lo que vino a bailar
y a oír los decretos del derecho de sobrevivir.

Por ahí está *o batelão* de proa de acero
anclado bajo la catarata y los petroglifos.
La tripulación de blanco desembarca de noche
en cualquier mente dispuesta a recibirla,
en dominios cristalinos del bienestar,
en los lóbulos de la liana florecida.

## the unfinished

Learning to consume the fullness of light,
living with the leaving and the allure
of a world with its monstrous opposites…
What promise of leaves would be on your tongue
for that propitious day you choose to die?
What final taste conveys your meaning home?
All want to know, but none to pay the price.
Lightning gave you the divination gift,
now it's a jagged ladder to heaven.
Memory's vortex is spiraling song.
Consider beginning after the end.

## lo inacabado

Aprender a consumir la plenitud de la luz,
vivir con el morir y el encanto
de un mundo y sus opuestos monstruosos...
¿Qué promesa de hojas agraciará tu lengua
para el día propicio en que escojas la muerte?
Todos quieren saber, pero nadie quiere pagar.
El relámpago te entregó el don de adivinar
y ahora subes su escalera dentada hacia el cielo.
El vórtice de la memoria es la espiral del canto.
Piensa en comenzar después del final.

Against today's drifts of snow
is my memory
of morning glories so blue
they rang summer skies
and of that bumblebee, too,
plunged in a white star's
center, its head at the edge
of the universe,
expanding and expanding:

the bee being in that bloom.

## entrada

Contra la nieve amontonada de hoy
hay dos recuerdos míos: *Ipomoea violacea*
tan azules en su gloria matinal
que sonaron en los cielos del verano
y también ese abejorro
queriendo zambullirse en el centro
de una estrella blanca, empujando
su cabeza por el filo del universo
que expande y sigue expandiendo:

el ser del abejorro en esa flor.

## knowing

What would it take to dismiss
the weight of knowing even if it were no more
than the burden of the smallest seed?
*No me importa un comino*, for example.

But in the rumors of the garden it grew
and when a certain breeze touched our lives,
we knew of sadness and its hybrids, the insects
flying plant to plant with their cylinders of air.

We could study the aerodynamics
of all things struggling with gravity,
or the consequences of failure,
or the template of bodies in motion.

Perhaps we are unsafe at any speed
and our beauty is our breaking apart
in the aerial waters of vision.

## saber

¿Qué tendría que ocurrir para descartar
el peso del saber aunque no fuera más
que la carga de una semilla diminuta?
*No me importa un comino,* por ejemplo.

Pero en los rumores del jardín crece
y alcanza nuestras vidas una brisa certera,
sabemos de la tristeza y sus híbridos, los insectos
volando de planta en planta con sus cilindros de aire.

Se podría estudiar la aerodinámica
de la materia que arrostra la gravedad,
o las consecuencias de la derrota,
o el modelo de los cuerpos en movimiento.

¿O somos inseguros a cualquier velocidad
y es nuestra belleza la forma de deshacernos
en las visionarias aguas del aire?

Perhaps there is no cure for losing ourselves, since none is necessary. Or is the remedy for dismemberment to remember how we puzzle ourselves together and how we need to seed pieces of Dionysus for future harvest?

¿Habrá remedio para nuestra pérdida
si ninguno falta? ¿O será que la cura
del desmembramiento consista en acordarnos
del rompecabezas que somos y de cómo hay que
                                        [sembrar
los pedazos de Dionisio para una cosecha futura?

## ghost bath

**I**

If dust can't adhere to nothing,
and sweat, if it were to exist,
detects no skin on which to shine,
why do the dead bathe in the sky
in rain that does not reach the earth?
Perhaps they absorb the memories
of the water they relinquished,
those unable never to age,
and those as newborn folds of time.
The living, in visions, watch them—
the floating loved ones in the clouds—
and forget the water and salt,
the waves inside faces that break.

## cuando los fantasmas se bañan

I

Como el polvo no puede adherirse a la nada
y el sudor, si existiera,
no detectaría piel en que brillar,
¿por qué se bañan los muertos en el cielo
en la lluvia que no alcanza la tierra?
Los que nunca han podido envejecer
y los que son como arrugas recién nacidas del tiempo
absorben quizá los recuerdos
del agua que abandonaron.
Los vivos, en visiones, los miramos—
los seres amados a flote entre las nubes—
y olvidamos el agua y la sal,
olas de rostros que rompen.

Rain that does not fall…
Great snake bathing in thunder
and rain that does not fall…
Twisting road that walks me
in the sky and never ends
since it slithers as I go,
its two eyes twin beams,
knives of light to cut a way
into other realms and even
into ancestors still to be…
Those who feel the edge
as we pass, know gusts
of fear driven by beauty
and become their own giants
with immense fingertips
on the ripple of flowing coils.

La lluvia que no cae…
Una gran serpiente bañándose en los truenos
y la lluvia que no cae…
Sendero sinuoso que me camina
en el cielo y no termina
porque culebrea bajo mis pasos,
son sus ojos rayos gemelos,
navajas de luz que se abren paso
a otros dominios para alcanzar
hasta los ancestros del porvenir…
Los que sienten el filo a nuestro paso
conocen las ráfagas
del miedo empujado en la belleza
para tornarse gigantes de sí mismos.
Las inmensas yemas de sus dedos
tocan las ondulantes escamas que fluyen.

## sachamama

The trees do not have eyes.
They are rooted in the serpent
that hasn't blinked for centuries.

Perhaps, even now, you are lost
in the jungle camouflaging its head.

It is no rain forest of symbols
that contemplates your body's contours
with jaws unhinged and fixed, magnetic gaze.

## sachamama

Los árboles no tienen ojos.
Están sus raíces en la serpiente
que no ha parpadeado durante siglos.

Tal vez, incluso ahora, estás perdido
en la selva que oculta su cabeza.

No es una floresta de símbolos
lo que contempla los contornos de tu cuerpo
con sueltas mandíbulas y la mirada fija como imán.

## sepultura tonduri

(based on a painting by Pablo Amaringo)

The being covered with steel scales on fire
chants something that sounds like your death.
Perhaps this bloodsong is already entering
your red chambers, and no one knows
what it knows, or if a heart could resist such music,
or if the snake around its arm, or if the violet
flares from its head, or if that melody
permeating air like air, night like night, and you like you,
or if soldiers ripped your dreams from bed
and marched them ever farther from dawn.

Who will help you now to perfect the art of living?
Your dense colors part like a beaded curtain
and that last waft of you comes before the molten one
who invokes the serpent to be your coffin
and the great tortoise shell overturned as the table
[for your wake

## sepultura tonduri

(basado en una pintura de Pablo Amaringo)


El ser en llamas cubierto de escamas de acero
canta algo que suena como tu muerte.
Tal vez este canto de sangre ya penetre
en tus rojos aposentos, y nadie sabe qué sabe este otro,
o si un corazón podría resistir tal música,
o si la culebra enroscada en su brazo, o si los destellos
violetas de su cabeza, o si esa melodía
esparcida por el aire como aire, y la noche como noche
[de ti mismo,
o si los soldados te arrancaron los sueños de la cama,
obligándolos a marchar cada vez más distantes del alba.


¿Quién te ayudará ahora a perfeccionar el arte de vivir?
Tus colores densos se abren como una cortina de cuentas
y esa última fragancia tuya se presenta ante el ser de lava
que invoca la serpiente que será tu ataúd
y el caparazón volcado de la gran tortuga

with mushrooms as candles and firefly-flames
so there is light for the pigs to dig your grave
and the shroud-ripper bird to shriek goodbye.
But even as reptilian walls squeeze you into darkness,
your only ally keeps beating against the power of the
[song.

que servirá como mesa para velarte
con setas por velas y luciérnagas de llamas
para que haya luz cuando los cerdos abran tu sepultura
y el ave que rasga mortajas chille su adiós.
Pero aunque los muros reptiles te expriman en lo oscuro,
tu único aliado palpita aún contra el poder del canto.

## the clay pots

The clay pots sing
to keep us company
when we're most alone.
Why do we always die?
Where do we go?
I can taste the blue rain
of their words in my ears.
I can see their music,
touching those who have fallen
so deeply inside the curved
vessel of all beginnings.
And it is from this well
that we are drawn by song.

## las ollas de cerámica

Cantan las ollas de cerámica
para acompañarnos
cuando más sentimos la soledad.
¿Por qué siempre tenemos que morir?
¿A dónde vamos?
Está el sabor de la lluvia azul
de sus palabras en mis oídos.
Veo su música,
toca a los caídos
hasta el fondo de la vasija
curva de todos los comienzos.
Desde este pozo
el canto nos quita.

**rain**

I think that the rain helps us see ourselves
as if we were nothing less than the drops
traversing the petals of the cosmos.
In the angle of rain is one answer.
In each falling droplet is another.
I am rolling from the skin of flowers.

## lluvia

Creo que la lluvia nos ayuda a vernos
como si no fuéramos menos que las gotas
que atraviesan los pétalos del cosmos.
En el ángulo de la lluvia hay respuestas.
En las gotas que caen caben otras.
Me veo rodando desde la piel de las flores.

## all trees the tree

*In Memory of Pablo Antonio Cuadra (1912-2002)*


There will be no repose in the afterlife
before your eyes, in this otherworldliness
that turns skin into bark and frees the heart-sap.
Who are you now to know the stars as your roots?
Let the White River take the song of your leaves.
You can drink the waters of oblivion
and still tower over the written landscape.
Are you *Omniarboreæ cuadrensis?*
I think of how you propagate your species:
all trees the Tree, poems in *ceiba* fiber,
streaming in wind higher than Ometepe,
floating on oceans that brought you a language,
germ plasm of *nísperos* and *zapotes,*
whose flesh is edible proof the gods exist…
And the *jocote,* whose limbs take root like love,
*jícaro*-skull for a maraca's rhythms,
you, a pharmacopoeia for all our needs,

# todos los árboles el árbol

*A la memoria de Pablo Antonio Cuadra (1912-2002)*

No habrá reposo en el más allá
ante tus ojos en el extramundo
con piel de corteza, sangre de savia.
¿Conoces tú las estrellas-raíces?
Que el Río Blanco se lleve tu canto.
Beberás de las aguas del olvido,
un gigante del paisaje escrito.
¿Eres *Omniarboreæ cuadrensis?*
Pienso en cómo te has propagado,
todos los árboles el Árbol, fibra
de Ceiba-poema, vuelo más alto
que Ometepe, vas por los mares del verbo,
tu plasma de *nísperos* y *zapotes*,
carne que alimenta a los dioses…
Tu jocote enraíza en el amor,
el jícaro de tu cabeza se toca,
eres la farmacopea que cura,

a green exit from the zone of extinction.
Now will we listen to the nonhuman world?

la salida verde de la extinción.

¿Sabremos oír tu mundo que es más que humano?

## resurrected warriors

The air is the earth's outer soul,
circulating around our wings.
Hover-masters, we can control
color, light's acts and sufferings.

Fierce pieces of transpierced rainbow,
we follow the course of the sun
in the nectared eyes of zero
and pollinate death's dominion.

## resurrección de los guerreros

El aire: alma exterior de la tierra
que circula en torno de nuestras alas.
Expertos en el vuelo del colibrí,
somos los actos sufridos de la luz.

Pedazos feroces de un arco iris herido,
seguimos el color y el curso del sol
en los ojos del cero con su néctar
y repartimos el polen en el reino de la muerte.

## the seed, the cross

*Then shall all the trees of the wood rejoice.*

Psalm 96

After the curse on the ground
had poisoned the source
of Adam's dreams for nearly a thousand years,
he sent a son in his dying light to steal a seed
from the tree in the midst of the garden.
Seth walked toward the rising sun,
following his parents' smoking footprints,
and found a two-winged alchemist
forsaken at the gates of paradise
eager to fulfill his desire.

When Seth pressed the seed under
his dead father's tongue
and Adam's skull began to collapse,
he remembered his vision of the treetop-infant

## la semilla, la cruz

*Griten de júbilo todos los árboles del bosque.*

Salmo 96


Al atardecer un día, después de la maldición
de la tierra y el envenenamiento de la fuente
de sus sueños durante mil años,
Adán le mandó a un hijo robar
una semilla del Árbol del Jardín.
Seth se enderezó hacia el sol ascendiente
por las huellas aún humeantes de sus padres
y encontró a un alquimista de dos alas,
abandonado a las puertas del Paraíso,
ansioso de bien servirle.


Al sembrar la semilla
bajo la lengua de su padre muerto
y al presenciar el colapso de la calavera,
Seth se acordó del niño en la copa de un árbol,

eclipsed by its mother's limbs.
The seed burst like heresy,
and a tree flowed from Adam's mouth:
slow river, vertical
rippling through the air,
bridge between heaven and earth.


David composed his psalms in its shade
and later wept against its silver-ringed trunk.
Solomon spoke over these roots of all knowing
and ordered the tree with its three kinds of leaves
cut into a single beam for the temple.
But the rebel wood tasted Eden, and not even
a master builder like Hiram of Tyre could fit it
into something of this world.

                              A healing pool
formed where it was thrown, and invisible hands
stirred the waters, searching for a memory of perfection.


Then who forced it to conform?
Who made the Cross?

eclipsado por las ramas de su madre.
La semilla estalló como una herejía
y un árbol fluyó de la boca de Adán:
un río lento y vertical
ondulaba por el aire
como un puente entre el cielo y la tierra.


David compuso sus salmos bajo esa sombra
y luego se apoyó, llorando, en los anillos de plata del tronco.
Sobre estas raíces de todo saber habló Salomón
y mandó talar el árbol de hojas triformes,
una sola viga para sujetar el templo.
Pero la madera rebelde conocía el Edén,
y ni el maestro Hiram de Tiro sabría
someterla a algo de este mundo.
                    Se formó un pozo de aguas curativas
donde el árbol se arrojó y manos invisibles
agitaron las aguas, buscando la memoria de la perfección.


Entonces, ¿quién la obligó a conformarse?
¿Quién fabricó la Cruz?

Who planted it in Golgotha?
The earth will not hold you,
but heaven's temple will behold you.
Children of Adam, when you worship the wood
divine splinters will sprout in your skulls
and your eyes will be opened
by a cellulose secret,
by forests of light.

¿Quién la sembró en el Gólgota?
Hijos de Adán, la tierra no os abrazará
pero el templo del cielo os ha de adorar,
porque, cuando recéis a la madera,
brotarán en vuestros cráneos astillas divinas
y vuestros ojos serán abiertos
por un secreto de celulosa
y por los bosques sin fin de luz.

## the tavern in the tree

(after a detail from Bosch's *Garden of Earthly Delights*)

Join the others, and rest your drunken head
against my trunk. Your great thoughts, like termites,
will bore through your penal skull and embed
themselves in my bitter core. These dense nights
will not decay. Here, the lodging is free.

The last stop is the tavern in the tree.

My non-blossoms exude the potent sense
of liberty, not of tribulations.
I have no leaves to mean obedience.
Welcome to the cross of expectations.
You are the fruit of my vitality.

The last stop is the tavern in the tree.

## la taberna en el árbol

(después de un detalle de *El jardín de las delicias*,
de El Bosco)

Reclina ya tu cabeza borracha
contra mi tronco. Las ideas
comen, comejenes, tu cráneo,
pueblan mi denso corazón.  Las noches
no se corrompen y aquí te alojas gratis.

La última parada es la taberna en el árbol.

Mis no-flores exuden una fragancia
no de tribulaciones, sino de libertad.
Mis hojas son la obediencia de nadie.
Bienvenida la cruz de la esperanza.
Eres el fruto de mi vitalidad.

La última parada es la taberna en el árbol.

Initiates shinny forked roads of time,
pondering like children the sacred Y's
of my bare and brittle limbs as they climb.
Some of them might touch the beckoning skies,
then fall. There is room for them, too, in me.

The last stop is the tavern in the tree.

You may embrace me with unrestrained joy,
since pleasure is the last faith to remain.
No sex is unsafe. Go ahead. Destroy
your fear. Taste any stranger's blood and pain.
Take a chain saw to eschatology.

The last stop is the tavern in the tree.

There's no closing time. Count concentric rings
and try to recall the years of your days.
Laugh until you cry about all those things
leaving you now without remorse or praise.

Los iniciados suben en bifurcaciones
del tiempo, contemplando como niños
preguntas sagradas desde las altas ramas.
Tal vez alguno toque el firmamento
antes de caer. Que se acerquen también.


La última parada es la taberna en el árbol.


Abrázame sin reticencias:
el placer es la fe que nos queda.
Todo sexo es seguro, no lo dudes.
Prueba la sangre y el dolor de otro.
Derriba los tabúes con una motosierra.


La última parada es la taberna en el árbol.


Me abro para que cuentes los círculos
concéntricos de los años que recuerdas.
Ríete y llora sobre aquello
que te abandona sin remordimiento.

Stay here, but say goodbye to memory.

The last stop is the tavern in the tree.

Acompáñame, pero sin memoria.

La última parada es esta taberna.

## permutations

*The eye is the lamp of the body...*
Matthew 6:22

The eye is the lamp of the body.
The eye is the body of the lamp.

That night, a bestial force in the oak grove
enfolding our wooden cabin
slunk toward a square of light
from a kerosene lamp. What scent brought us
together in these mountains obscuring our dreams
like a mate's undiscovered body?

The lamp is the eye of the body.
The lamp is the body of the eye.

I felt the wildness outside
burn my flesh,

## permutaciones

*La lámpara del cuerpo es el ojo.*

Mateo 6:22

El ojo es la lámpara del cuerpo.
El ojo es el cuerpo de la lámpara.

Esa noche, una fuerza bestial entre los robles
que abarcaba la cabaña entera
se acercó al cuadrado de luz
de una lámpara de queroseno. ¿Qué fragancia
nos unió en estos montes oscureciendo nuestros sueños
de un cuerpo aún no descubierto?

La lámpara es el ojo del cuerpo.
La lámpara es el cuerpo del ojo.

Sentí lo salvaje de afuera
incendiar mi carne,

glowing web of ash,
of desire,
as we searched each other
for salt with our tongues.

The body is the eye of the lamp.
The body is the lamp of the eye.

The lamp, off, and how great the darkness
of cardinal points and virtues. On all fours,
you twisted your head toward wasps asleep in the rafters
and found my lips, then we groaned
and you reached backward with one hand
to press me deeper inside you.

The shining eyes, the night, our bodies.
We were sound in the savage permutations.

una red ardiente de ceniza,
deseo,
y nos registrábamos con lenguas
en busca de la sal.

El cuerpo es el ojo de la lámpara.
El cuerpo es la lámpara del ojo.

La lámpara, ya extinguida, y esa gran oscuridad
de puntos y virtudes cardinales. A gatas,
mirando hacia atrás, hacia las avispas dormidas,
encontraste mis labios
y extendiste una mano
para adentrarme aún más.

Los ojos brillantes, la noche, nuestros cuerpos
salvos y sanos en las salvajes permutaciones.

## leaving atocha station

No more struggling with the street's undertows:
this bird-train is the key to paradise.
The rosary of urban nocturnes knows
vermouth-prayers and octopus-sacrifice.
In Madrid's whirring crepuscular air,
motion is a substitute for desire.
An Andalusian optic nerve will bear
ambassadors to what's left of empire.
Buildings and cranes will yield to olive trees
under an inlaid, geometric dome.
I'm not leaving if I've left memories,
ticketless, with luggage, and far from home.
This bullet travels at the speed of mind.
Will my future lapses remain behind?

## saliendo de la estación de atocha

¡Basta ya de mareas callejeras!
Este Ave es la clave del paraíso.
El rosario de noctámbulos urbanos
tiene plegarias de vermú y pulpo.
En el aire crepuscular de Madrid
El movimiento sustituye al deseo.
Un nervio óptico andaluz traslada
embajadores al imperio real.
Las grúas de lo nuevo dejan paso a los olivos
bajo una bóveda de azul geometría.
Pero no parto si dejo recuerdos,
sin pasaje, con maletas, tan lejos.
Bala que viaja a velocidad mental,
¿quedarán atrás mis lapsos futuros?

## castille/castle

In the last light I watch swallows
slice the walled Medieval shadows.
Theirs is the kingdom of insects
and all that life's full flux collects.

I want their aerial tattoos
to bring me a needle-winged muse.
I am the indelible art
that lives to show their feeding-art.

## castilla/castillo

Cae la tarde y veo los vencejos:
tajan las sombras, murallas medievales.
Suyo es el reino de los insectos
y lo que su flujo vital recoge.

Quiero que sus tatuajes aéreos
me traigan una musa de alas de agujas.
Soy el mapa de mi piel indeleble:
vivo mostrando su arte de comer.

By Columbia University, Lorca
is sitting by a dark, red ball
that still dreams of traversing the great void
of its other life as a meteorite,
unpolished, improbable, on target,
a true carrier of first arrivals,
molecular shapes of the twin serpent
in the hands that made the knot in his tie,
in the eyes that perceived the connections
between the chemical rose, wild mushrooms,
and the chlorophyll of a blond woman.
So this porphyry mirror reflecting life itself
exists now only as photograph.
Lightning has shattered Lorca's vehicle
of metaphor, stranding him everywhere.

## poeta en nueva york

Cerca de la Columbia University, Lorca
está sentado al lado de una esfera roja
que aún sueña con viajes por la nada
en otra vida como un meteoro
tosco, improbable, certero,
un verdadero cargador de llegadas iniciales,
formas moleculares de la doble serpiente
en las manos que ataron la corbata,
en los ojos que vieron los vínculos
entre la rosa química, las setas
y la clorofila de una mujer rubia.
Este espejo de pórfido que refleja la vida
existe ahora sólo como fotografía.
Un relámpago ha quebrado el vehículo
de la metáfora de Lorca
y lo deja averiado en todas partes.

## the king's book of stones

**I**

In the background, a castle. The camera pans up,
focuses on a turret window, approaches at high speed
until it enters a room and turns back toward the window
through which it came. At a table bathed in the extra
                                                    [light
of solstice, the King compiles his Book of Stones.

In the realm of desire outside, the peasant,
who once shivered and lifted her dress
to keep warm by a fire built on frozen earth,
now reclines on a pile of freshly-mowed hay
as a man drops his scythe and kneels between her legs.

When will pleasure be yours if I freeze this summer
frame, here, into a cold pastoral of words?
Will the slow-time of your passion ever coincide

## el lapidario del rey

Al fondo, un castillo. La cámara gira, muestra el panorama,
enfoca la ventana de una torre, se aproxima veloz
hasta entrar en un cuarto, luego vuelve hacia la ventana
por donde entró. En una mesa bañada por la luz que
                                        [sobra
del solsticio, compila el Rey su lapidario.

Afuera, en el reino del deseo, la campesina
que un día temblaba y alzó su vestido
para calentarse junto al fuego sobre la tierra congelada
se reclina ahora en el pasto recién cortado.
Un hombre suelta la hoz y se arrodilla entre sus piernas.

¿Cuándo será vuestro el placer si congelo el fotograma
del verano, aquí en una fría pastoral de palabras?
¿Coincidirá vuestra pasión de tiempo lento

with the fast-time of each generation of lovers,
animating you and then becoming the dust you are now?

The stones you need receive the virtue
of the rays that descend from the figures of stars.
The terrestrial and the celestial confused
within you, a multitude of stones and stars
that you wish you could count and call each one by
[name...

**II**

Power over each stone exists in a psyche that burns
in Perseus's crown or in the tortured river's sky,
in the constellation called Home that every child learns,
in the bull's nape or in its northern horn or southern eye,

in the serpent's mouth, in the crow's beak, on my lower
[lip,
between the shoulders of Gemini or the rabbit's ears,

con el tiempo veloz de las generaciones de amantes
que os animan, transformándose en el polvo que ahora
[sois?

Las piedras que necesitáis reciben la virtud
de los rayos que descienden de las figuras astrales.
Lo terrestre y lo celeste se confunden en vosotros,
una multitud de piedras y estrellas
que quisierais saber contar y nombrar, una por una.

II

El poder sobre cada piedra existe en una psique que arde
en la corona de Perseo o en el cielo del río torturado,
en la constelación Morada que cada niño aprende,
en la cerviz del toro, su cuerno norteño u ojo del Sur,

en la boca de la serpiente, en el pico del cuervo, en mi
[labio inferior,
entre los hombros de Géminis o en las orejas del conejo,

in the mast or the stern or the shadow cast by the ship,
in the third knot of the scorpion's tail that strikes the
[years,


in the right shoulder of the one who firmly clasps the
[reins,
in the celestial folds of the Virgin's maphorion,
in the left hand of the man who cries out when the
[moon wanes,
in the hilt of the sword drawn and wielded by Orion,


at the bottom of the pitcher, in the warrior's heel,
in the turtle's horns or in the hand bending back time's
[bow.
The chemicals of consciousness have made these figures
[real.
Your fleeting lives have substance. The King's book
[knows what I know.

en el mástil, en la popa, en la sombra que arroja el navío,
en el tercer nudo de la cola del escorpión que hiere
[los años,


en el hombro derecho del que aprieta tan firme las
[riendas,
en las pliegues celestes del *maphorion* de la Virgen,
en la mano izquierda del que grita bajo la luna
[menguante,
en el puño de la espada blandida por Orión,


en el fondo de la vasija, en el talón del guerrero,
en los cuernos de la tortuga o en la mano que dobla
[el arco del tiempo.
La química de la conciencia construyó la certeza de
[estas figuras.
Son substancia vuestras vidas fugaces. Sabe lo que sé
[el lapidario del Rey.

You lovers seek the stones of your desire under the
[sun.
Possess this one in the hour of Venus
and you will be able to make love many times
and replay the genetic dream of duplication.
Use another stone to cure any venereal diseases.

One keeps the penis hard, another increases sperm.
This stone stops the flow of blood from flowers:
drink its powder with mother's milk to get pregnant.
By day, it moves from within like the fetus of prophecy.
By night, it is transparent and illuminates the room.

Another stone will keep leaves on trees, fruit on branches,
and babies in their wombs. Wear one to give birth with
[no pain.
Put the powder of another in a newborn's nose to
[vanquish devils.

Vosotros, los amantes, buscáis bajo el sol las piedras
[del deseo.
Poseed esta piedra en la hora de Venus
y podréis repetir el amor muchas veces
y volver a tocar el sueño genético de la duplicación.
Usad otra para curar las enfermedades venéreas.

Una mantiene duro el pene, otra aumenta la esperma.
Ésta estanca el flujo de sangre de las flores:
bebed su polvo en leche materna para quedar preñadas.
Mueve de día desde adentro como el feto de la profecía.
De noche es transparente e ilumina el cuarto.

Otra fija las hojas en los árboles, fruta en las ramas
y criaturas en los vientres. Una hace parir sin dolor.
El polvo de otra en la nariz del bebé vence diablos

Apply some to girls' breasts and boy's penises to
                              [keep them small.
Embody the elements of your brief passage.

Will you remember all that you see and hear in my
                              [film
of lovers captured in fields of summer grass?
The King observes the kinetic heaven and earth in his
                              [book.
Watch this stone to counter forgetfulness.
Carry this star to forget everything unto death.

e impide crecer los senos de las niñas, los penes de
[los niños.
Encarnad los elementos de vuestra breve travesía.

¿Os acordaréis de todo lo que habéis de oír y ver en
[mi película
de amantes capturados entre las hojas de hierba del
[estío?
El Rey observa en su libro la kinesis del cielo y de la
[tierra.
Mirad esta piedra para contrarrestar el olvido.
Llevad esta estrella para olvidaros de todo, hasta la
[muerte.

## st. colman's fly

The pages of the codex
are teeming with signs.
A paradise of words and
eye-defying lines.

Colman lets the holy fly
roam across his face.
But when he stops his reading,
the fly keeps his place.

## la mosca de san colman

Las páginas del códice
hierven de signos.
El paraíso del verbo
confunde los ojos.

La mosca sagrada
trepa por la cara del santo.
Cuando deja de leer San Colman
la mosca guarda la página.

## song of the black stone

I am the color of her face.
They made her out of black stone.
Sing louder so that she won't hear
the thunder calling her home.

I am the color of her eyes,
watching over you at night.
I am a piece of sacred sky
exiled on a bolt of light.

New Magi, the other Mary,
in the brightness of my rising.
Who was that baby in her arms?
Was her child by Christ surprising?

I was buried for seven years
after falling in the storm.

## canción de la piedra negra

Soy el color de su cara.
La hicieron de piedra negra.
Canta para que ella no oiga
el trueno de su regreso.

Soy el color de sus ojos
vigilándote de noche.
Soy un pedazo del santo cielo
en el relámpago del exilio.

Magos nuevos, otra María
en el brillo de mi ascendencia.
¿Qué niño hubo en sus brazos?
¿Era de Cristo el zagal?

Siete años enterrada,
al caer en la tormenta,

Crusaders found me in the East
and revealed her in my form.

She is the color of my face.
Mother, lover of black stone.
Sing louder so that I won't hear
the thunder calling me home.

los cruzados me hallaron
y en mí la descubrieron.

Ella es del color mío,
madre, amante en piedra negra.
Canta para que no oiga
el trueno de mi regreso.

## the monk explains the miracle

After the prayers of compline,
I felt empty
when I should have been as fulfilled
at day's end
as the pitcher of wine
hidden beneath my robe.
While the others retired,
I went into the garden
to look for her in the night sky
and to drink the dark blood
of the failures of my age.
Weary beyond measure of being
already and always broken,
I sat beside the fountain
and stared at the stars.
A nightbird I had never heard
sang from the branches above me.
Now that I recall that night,
each note could have been a decade,

## el monje explica el milagro

Después de las plegarias de completas,
me sentí vaciado
cuando debía de estar tan pleno
al fin del día
como la jarra de vino
escondido bajo mi casaca.
Mientras los otros se retiraban,
quería ir al jardín,
buscarla a ella en el cielo de la noche
y beber la sangre oscura
de las derrotas de la época que me tocó en suerte.
Fatigado más allá de la medida humana
de mi ser quebrado ya para siempre,
me senté al lado de la fuente
para contemplar las estrellas.
Un ave nocturna que yo nunca había escuchado
cantaba arriba en las ramas.
Ahora que pienso en esa noche,
cada nota pudo ser una década,

transposing me and my threnody.
In a different key,
I imagined her eyes, and felt myself
dilate to her dimensions.
I assumed I would see her, be her
crown. Instead, the rising storm of her song
blew me backwards into the future.
Wholeness was the centuries' single disaster
piled ever higher in front of me.
I fell at the very end of my millennium,
and all I have is a smashed vessel,
a Book of Hours,
and your disbelieving faces.

transponiéndome a mí y a mi treno.
En tono distinto, entonces,
me imaginé los ojos de ella y me sentí
dilatar hasta alcanzar sus dimensiones.
Supuse que la vería, que sería su corona.
Pero la tormenta ascendiente de su canto
me arrastró en su aire hacia el futuro.
El desastre único de los siglos fue todo
amontonándose cada vez más alto ante mis ojos.
Caí al final de mi milenio
y me queda sólo una vasija rota,
un Libro de Horas
y vuestras caras incrédulas.

## castillo ygay, 1987

Let this wine be a repository
that expands in the chambers of the tongue
for all those things uncorked and furious,
feeding obsessions, appetites and fears.
Let it be our psyche of yesterday,
the dark stain that suffuses poetry,
the red sun that will engulf the planet,
or the blood that will neither overflow
nor remain in us, its vessel of choice,
except as a remembrance that opened
on a summer balcony in Madrid.

## castillo ygay, 1987

Que este vino sea un repositorio
que se expande en aposentos de la lengua
de todo lo descorchado y furioso,
nutriendo obsesiones, miedo y deseos.
Que sea nuestra psique de ayer,
una mancha oscura que sature el poema,
el sol rojo que engulla el planeta
o la sangre que no ha de derramarse
ni seguir en nosotros, sus vasijas selectas,
salvo como este recuerdo que se abrió
en un balcón de verano en Madrid.

## enjoy a short stay on our island

How did these flame-colored grapes in my car
get from Chile to winter in New York?
How much fuel would it take for me to fly
from this September 11 of fire
to the other, my first year at college?
The past is refusing to burn cleanly.
Teachers are more than expert extractors:
«Which is Lord,» the best one asked,
«Space or Time?»
Always awake in history's nightmare,
driving to where I can watch the earthrise,
now will my flesh be as sick as the world's?
The SUV and snowmobile are gassed
and ready for action. Pay at the pump
and enjoy a short stay on our island.

## diviértete un rato en nuestra isla

¿Cómo llegaron de Chile a Nueva York
estas uvas en llamas compradas bajo la nieve?
¿Hay combustible para volar
desde este 11 de septiembre de fuego
hasta mis primeros días en la universidad?
El pasado no arde sin culpa
y los profesores saben no sólo extraerlo:
«¿Quién domina?» preguntó el mejor,
«¿El Espacio o el Tiempo?»
Despierto en la pesadilla de la historia,
deteniendo mi coche para apreciar
la salida de este globo terráqueo,
¿será tan enferma mi carne como la suya?
El *SUV* y el *snowmobile* están llenos
de gasolina: quieren desplazarnos.
Diviértete un rato en nuestra isla.

## oil & consciousness

We're drinking to our own extinction. Cheers!
In the carbon cocktail: the world's first fern
and our bones when each of us disappears.
In one frigid year, a million years burn.

Oil is the earth's consciousness that we drain
to appease our gods in refineries,
to nourish vehicles that have no brain
and to fuel our savage servilities,

those Supreme Non-Beings that float, fly, kill
in the furthest reaches of globe and mind,
wherever we choose to impose our will,
wherever fossil greed can be refined.

Through foliar lungs of the Amazon,
through song-lines marking the caribous' land,
we pierce the earth's dream of a mastodon.
Through offshore skin and desert eyes of sand

## petróleo & conciencia

Brindamos por nuestra propia extinción. ¡Salud!
En el cóctel de carbón: el primer helecho del mundo
y también nuestros huesos cuando desaparecemos.
En un año frígido, arde un millón de años.

El petróleo es la conciencia de la tierra, que apuramos
para apaciguar a nuestros dioses de las refinerías,
para nutrir a vehículos que no tienen cerebro,
y para llenar de combustible a los servidores salvajes,

supremos seres sin vida que flotan, vuelan y matan
en los lugares más remotos del planeta y de la mente,
dondequiera que elijamos imponer nuestra voluntad,
dondequiera que se refinen los fósiles de la avaricia.

Por los pulmones como hojas del Amazonas,
por los senderos cantados de la tierra del caribú,
perforamos el sueño de la tierra de un mastodonte.
Por la piel de las costas y los ojos de arena del desierto

we drill the layers of earth: the psyche,
the strata of all our preterit suns,
and what keeps us captives of memory,
dark pools of our daily fears and fusions.

We carry crude and not blood in our heart.
Though oil will never move us on its own,
one current underground will help us start
the real regime change that begins at home.

taladramos las capas de la tierra: la psique,
los estratos de todos nuestros soles pretéritos,
y lo que nos mantiene cautivos de la memoria,
pozos oscuros de disoluciones y miedos cotidianos.

Llevamos petróleo crudo y no sangre en el corazón,
y aunque quizá no logre conmovernos
una corriente subterránea nos ayudará a emprender
el verdadero cambio de régimen que empieza en casa.

No hand rolled back stone from the cryptic dawn.
Miracles bled Extreme Unction instead.
My born rage burned beneath Towers of Gone:
all that had risen was smoke from the dead.

Ninguna mano empujó la piedra de la críptica alborada.
Milagros sangraron la Extremaunción.
Mi rabia naciente ardía bajo Torres de Lo que Fue:
todo lo que ascendía era el humo de los muertos.

## fireflies

*Ayañahuis,*
the eyes of the dead, scintillating,
keeping time with the night's pulse...
I regret to inform you
that those little yellow souls
guiding the way of no one,
those eyes of the dead,
once belonged to those
who went through life ruining life
for the rest of us.
And so this is their place,
to have no place
except in our memory
because it's impossible
to forget the irreparable
and those who inflict it,
especially tonight in summer fields
as you stand, sweaty and transfixed
by their thick imperturbability.

## luciérnagas

*Ayañahuis,*
los ojos de los muertos, centelleantes,
pulsando al compás de la noche...
Lamento informarte
que todas esas almitas amarillas
que no orientan a nadie,
esos ojos de los muertos,
alguna vez pertenecieron a aquéllos
que pasaban la vida arruinando la vida
de nosotros.
He aquí, entonces, el lugar de ellos,
que es no tener lugar
salvo en nuestra memoria
porque ya es imposible
olvidar lo irremediable
y a los que lo infligen,
y sobre todo en esta noche de verano,
al detenerte en el campo abierto, sudado y preso
de su densa imperturbabilidad.

They seem to be everywhere, these eyes,
and I would not have thought that death
would have had so many to transform
into eye after eye, like the searing one
about to land on your naked chest.

Es como si estuviesen en todas partes, estos ojos,
y me maravilla pensar que la muerte
haya tenido que transformar a tantos,
ojo tras ojo, como el que ahora desciende
para quemar tu pecho desnudo.

## an exhibit at the archivo de indias

**1**

At that time Mercury went overland
from Huancavelica to Potosí
as poisonous messenger of the gods.
The Indians grew no wings on their feet,
stamping on the silver-infested mass.

**2**

They carried 40-kilo sacks
up from one darkness
into another,
wearing candles on their thumbs.

**3**

There was an Indian
with a horn of plenty
sitting on an alligator
as hieroglyphic.

## una exposición en el archivo de indias

**1**

En aquel tiempo Mercurio viajó por tierra
de Huancavelica a Potosí
como mensajero venenoso de los dioses.
Los indios carecían de pies alados
al pisar la masa infestada de plata.

**2**

Subieron sacos de 40 kilos
desde una oscuridad
hasta otra,
con velas encendidas en sus pulgares.

**3**

Hubo un indio
con cornucopia
sentado sobre un cocodrilo
como jeroglífico.

Which of the visitors
sees through the beauty
of these exquisite maps?

**4**

What Gandía told Huaina Capac:
«This gold is what we eat.»

**5**

Someone you recognize
tells you to follow, to cross
a gorge where rocks shine like blood,
to pass a thorny plant,
to close your eyes,
to open them, and when you do
you discover you're on the other side,
that you must be lost forever,
and you're scared of not remembering.
The body dies first,
but the one who thinks
lingers for a while.

¿Cuál de los visitantes es capaz
de ver más allá de la hermosura
de estos mapas exquisitos?

**4**

Lo que dijo Gandía a Huaina Capac:
«Este oro es lo que comemos.»

**5**

Alguien que reconoces
te dice que lo sigas, que cruces la quebrada
donde las rocas brillan como sangre,
que dejes atrás una planta de espinas,
que cierres los ojos,
que los abras. Luego
te descubrirás en la otra orilla
donde estarás, sin duda, perdido para siempre.
Te atemoriza no poder recordar.
Primero muere el cuerpo, claro,
pero los que piensan
permanecen un rato más.

## for the unborn

I

This history is for the unborn
who will never enter life,
not for the living who will die
in a cloudburst of light blossoming over cities
on a day we must already remember.
And in the absence that cannot be imagined,
death shall have no dominion
because death will have swallowed itself whole.

On a string I have life,
on a string I have death.
Who am I?
You are the candle
we lit so we could see.

You make me singing,
you buy me crying

**para los no nacidos**

Es una historia para los no nacidos
que jamás ingresarán a la vida,
no para los vivos que han de morir
en aguaceros de luz sobre ciudades en ciernes
un día del cual ya debemos acordarnos.
Y en la ausencia que no se puede imaginar,
la muerte no tendrá señorío
porque la muerte se habrá devorado a sí misma.

En un hilo sostengo mi vida,
en un hilo tengo mi muerte.
¿Quién soy? Eres
la llama de la vela.
Te encendimos para ver.

Me creas cantando,
me compras llorando

and you use me without seeing.
Who am I?
You are the coffin,
the empty one. Because this death
will be different. No one to make you,
buy you, no one to use you.
No one.


I live in a place
guarded by ivory soldiers.
I'm the red snake,
the king of lies.
Who am I?
You are the tongue.
And we believed you.


Before you pass from death to life,
before the first sounds
cross your salty lips struck by light,
before your faces turn in shifting skies
and arms then legs push free

y me usas sin ver.
¿Quién soy? Eres
el ataúd,
el vacío. Porque esta muerte
será distinta. Nadie para hacerte,
comprarte, nadie para usarte.
Nadie.

Vivo en un lugar
vigilado por soldados de marfil.
Soy la culebra roja,
la reina del mentir.
¿Quién soy? Eres
la lengua.
Y nosotros te creíamos.

Antes que pases de la muerte a la vida
y los primeros sonidos traspasen
tus labios de sal golpeados por la luz,
antes que tu rostro gire en cielos cambiantes
y brazos y luego piernas se liberen

to dry in the smell of the wind,
imagine the planet
consumed by a blaze
that we will give you with your blood.

**II**

I wrapped myself in a sheet
and made my way to the point
where the two rocks offshore
formed a passage to another world.
He heard my call that night.
I remember the creaking of oars,
the luminous wake above the waves,
the splinters of the battered gunwales,
the back of a man who swung the oars
inside the boat, wiped his forehead
with a sleeve and turned to greet me.
But I wasn't dead. I was alive and young
and laughed on the cliffs of what I knew.

para secarse en la fragancia del viento,
imagínate el planeta
consumido en una llamarada
que te daremos con tu sangre.


II


Envuelto en una sábana,
me abrí paso hacia la punta
cerca de la costa en que dos rocas
formaban un pasaje al otro mundo.
Alguien escuchó mi llamado esa noche.
Recuerdo el crujido de los remos,
la estela luminosa suspendida sobre las olas,
las astillas de tablas gastadas,
la espalda del hombre que subió los remos
dentro del bote, limpióse la frente
con la mano y giró para saludarme.
Pero yo no estaba muerto, sino vivo y joven
y risueño en los acantilados de mi saber.

What the gull observes
as it drops toward the sea
changes from an insect with only two legs
moving slowly back and forth across the water
to a rowboat and a man
who watches the last light of the day
lift shadows from a receding shore.
A dolphin leaps from wave to wave.
The wind is from the north.
A storm closes the horizon.

*There he is on the point again.*
*Today the healer mourned his death*
*and swept his soul right out the window with a broom.*
*He slipped through bars of sunlight*
*and left with the dust in his room.*
*But this time he can scream at me and these waters*
*from the two rocks that are his mother's knees*
*until the end of the world that invented us.*
*I'll never ferry him anywhere.*

Lo que observa la gaviota
al caer sobre el mar
se transforma de un insecto con dos patas
que se mueve lento sobre el agua
en un bote de remos y un hombre
que ve la última luz del día
alzar las sombras de una costa que se aleja.
Un delfín salta entre las olas.
Sopla desde el norte el viento.
Una tormenta cierra el horizonte.


*Allí está de nuevo en la punta.*
*Hoy la machi lamentó su muerte*
*y luego barrió su alma por la ventana.*
*Deslizándose entre rejas de luz solar,*
*salió con el polvo de su cuarto.*
*Pero déjala imprecarme y gritar a estas aguas*
*desde las rocas que son las rodillas de su madre*
*hasta el fin del mundo que nos inventó.*
*Jamás la llevaré a ninguna parte.*

Father, why did the waters rise and flood the land?
The serpent of the sea lifted the waves and sang
with the rain that battered our shores.
What happened then?
The serpent of the land that loves us
made mountains and the people climbed
and the waters rose and from the peaks
we saw our dead floating among the trunks
                              [of trees.
Father, do you think it will rain
now as long as it did then?
No. But while we wait for the skies to clear
we can mend sails, repair nets and paint the boat.


All the cities on earth were waiting
for the storm that was not a storm to begin.
The metaphysical one,
the unnatural one.
And the people did nothing.

Padre, ¿por qué subieron las aguas para inundar la tierra?
La serpiente del mar encaramó a las olas, cantando
con la lluvia que castigaba nuestras costas.
Y entonces, ¿qué pasó?
La serpiente de la tierra que nos ama
formó montañas y el pueblo las escaló
y las aguas subieron y desde las cumbres
vimos nuestros muertos flotando entre troncos de
                                        [árboles.
Padre, ¿crees que lloverá
ahora como entonces?
No. Pero ya que esperamos a que los cielos se despejen
pintemos el bote, reparemos las redes y las velas.


Todas las ciudades de la tierra esperaban
a que la tormenta que no era tormenta comenzara.
La borrasca metafísica,
la antinatural.
Y el pueblo no hizo nada.

No one did anything except those who piled weapons
until they reached the clouds. And the people
built their lives on these mountains.


I was one of them.
Like an island, I dressed myself in distance
ready to let centuries slip like dust
between my fingers, ready to let generations
become the chain of fissioned nuclei
that would silence the dead for the first time
and link me to nothingness. An unreal
firestorm whipping an imaginary coast
where I hide in a nonexistent bay
that protects my formless boat.
The invisible rain falling through my eyes
as well as those of the unborn waiting at their window.
The current running colder in me
toward something not within
the stream of human time
had given me a body numb to the world.
The smell of oblivion is in my hair.

Nadie sino aquellos que amontonaron armas
hasta que alcanzasen las nubes. Y el pueblo
construyó la vida sobre esas montañas.


Yo era uno de ellos.
Como una isla, me vestí de distancia
dispuesto a dejar deslizarse los siglos
como polvo entre mis manos y que las generaciones
se convirtieran en la cadena de núcleos fisionados
que silenciarían a la muerte por vez primera,
para unirme a la nada. Una tormenta de fuego irreal
azota una costa imaginaria
donde yo me escondo en una bahía inexistente
que protege mi bote sin forma.
La lluvia invisible que penetra mis ojos
y los ojos de los no nacidos que se asoman a la ventana.
Lo que corre más frío en mí
hacia algo no contenido
en la corriente del tiempo humano
me dio un cuerpo apenas sensitivo al mundo.
El olor del olvido está en mis cabellos.

The roar of a sea that is not a sea is in my ears.
So this is the journey to the end of the world.

**IV**

It was up to us to invent the New World,
and with stories of gold
we got the money to do it.
I didn't care under what flag I sailed.
The ships embarked
to distribute our imaginations
throughout the blank maps of our time.
But what could we promise the crews?
Riches? At first it would work.
Their lives? I remember
how my men stared into darkness for years
then turned their eyes on me.
The fear of not being was enough
to kill their Captain.
And I'm surprised they didn't.

Ruge en mis oídos un mar que no es mar.
Así es el viaje hacia el fin del mundo.


## IV


Nos tocó a nosotros inventar el Nuevo Mundo
y con historias de oro
conseguimos el dinero para hacerlo.
No me importaba bajo qué bandera navegaba.
Los barcos levaron anclas
para repartir nuestras imaginaciones
por los mapas en blanco de nuestro tiempo.
Pero ¿qué podríamos prometerles a los tripulantes?
¿Riquezas? Al principio daría resultados.
¿Sus vidas? Recuerdo
hombres que escudriñaron la oscuridad durante años
y luego volvieron sus ojos hacia mí.
El temor de no ser fue suficiente
para asesinar a su Capitán
y me sorprende que no lo hicieran.

After the putrid water ran out
and we boiled the last rice in seawater.
After we ate rats, leather and sawdust mixed with
                                        [worms.
After storms that snapped masts and shredded
                                        [sails.
After I killed the mutineers and had their bodies
                                        [quartered.
After the crew got sick and we tossed the dead
                        [overboard corpse by corpse.
After one of the ships deserted and sailed for home.
But there was that fire on the far shore of intuition
suddenly appearing in a passage to another world.
We brought the water to these sealess coasts.
We put each rock and finger of earth in place
and then we gave them names.
Let these lands burn in the minds of the dreamers.


Peace. Let the water hold these stars.
Under violet skies, the kind that betray,

Después de que se escurrieran las aguas putrefactas
e hirviéramos en agua del mar el último arroz.
Después de que comiéramos ratas, cuero y aserrín
                                        [con gusanos.
Después de las tormentas que arrebataban mástiles
                                    [y rasgaban velas.
Después de matar a los amotinados y descuartizarlos.
Después de que la tripulación se enfermara y arrojáramos
        [los muertos por la borda cadáver tras cadáver.
Después de que uno de los barcos desertara.
Pero he ahí el fuego en la costa lejana de la intuición
que apareció de pronto en el pasaje a otro mundo.
Llevamos agua a estas costas aún sin mar.
Pusimos en el lugar designado cada roca y pulgada
                                            [de tierra
y les dimos sus nombres.
Que estas tierras ardan en la cabeza del soñador.


Paz. Que el agua retenga estas estrellas.
Bajo cielos de violeta, cielos traidores,

children from villages adrift in a labyrinth of islands
wave to the wake of a ship passing in their ancestors'
[dreams.
The sails billow in the same wind
of time lived and unlived
that fills tomorrow's lungs.


The night is mirrored ahead of her ship
as if she were navigating the sky
in the channels of those children's hands.
She is the survivor who drowned in memory,
the only witness to what cannot be remembered.
Those who created her would drift
toward her music and lights
and drop anchor in the eyes of the other world
so she could go on living in their dreams,
so she could give them the power to change what
[they saw
into the trunk of a cypress covered with crows
floating deeper into the fog.
The fear of not being would have been enough

niños de aldeas a la deriva en un laberinto de islas
hacen señas a la estela de un barco
que pasa en los sueños de sus ancestros.
Las velas se hinchan en el mismo viento
del tiempo vivido y desvivido
que llena los pulmones del mañana.


La noche se refleja delante de su nave
como si navegara por el cielo
en los canales de esas manos infantiles.
Ella es la sobreviviente ahogada en la memoria,
el único testigo de lo que no se puede recordar.
Los que la crearon
flotaban hacia su música y sus luces,
echaban ancla en los ojos del otro mundo
para que ella siguiera viva en sus sueños
y les diera el poder de cambiar lo que veían
en el tronco de un ciprés cubierto de cuervos
que se pierde en la niebla.
El temor de no ser habría sido suficiente

to save them if it had existed.
But she's what's impossible,
the lie below the sun at night,
the one who sails with the fire
that leaves a desert in its wake
and finally freezes the planet.

**V**

Ice thundering from towers of ice.
A single eye anchored in the thunder
of centuries of dreams, shipwrecks
and wars that all led to this.
Children of fire, rest here.
What you could have been is over.
Rest with your weapons frozen in ice.
Rest with your armies in the cold fire.
Listen to their limbs snap in night after night of
[silence.
Towers of ice toppling into a bottomless lake
and another chunk of history sends waves

para salvarlos si existiera.
Pero ella es lo imposible,
la mentira soleada en la noche,
la que navega con el fuego
que deja en su estela un desierto
y congela al final el planeta.

V

Hielo que truena desde torres de hielo.
Un ojo único anclado en el trueno
de siglos de sueños, naufragios
y guerras que resultaron en todo esto.
Hijo del fuego, descansa aquí.
Lo que podías haber sido se acabó.
Descansa con tus armas yertas en el hielo.
Descansa con tus ejércitos en el fuego frío.
Escucha el chasquido de los cuerpos
rompiéndose en las noches de silencio.
Torres de hielo se derrumban en un lago sin fondo
y un nuevo alud de la historia envía sus olas

to shatter on the far shore.
These jagged arches resemble the cities you
                                    [destroyed
but they are not the ruins of civilizations,
only the absence of humanity.
To climb these heights of ice
means not to be born,
means finding no stone
shaped by human hands.
This river of ice carrying what was once alive.
This river of ice growing and receding in time
as if it were alive in the blue fissures of extinction.
This river of ice scarring a granite face.
Children of fire, rest here.


Strange to see pieces of ice
unexpectedly accost the boat
in water that turned grayer
than the time it takes to age.
Egrets rising from swamps

a reventar en la costa lejana.
Estos arcos quebrados se asemejan
a las ciudades que has arrasado
pero no son las ruinas de civilizaciones,
sino la ausencia de lo humano.
Subir a estas alturas de hielo
significa no nacer,
significa no hallar piedra ninguna
moldeada por manos humanas.
Este río de hielo se lleva lo que antes vivía.
Este río de hielo crece y retrocede en el tiempo
como si estuviera vivo en las fisuras azules de la
                                    [extinción.
Este río de hielo desfigura un rostro de granito.
Hijo del fuego, descansa aquí.


Qué extraño ver bloques de hielo
acercándose de pronto al bote
en aguas que se tornaban más grises
que el tiempo que se tarda en envejecer.
Hay garzas que suben de los pantanos

on either side of the narrow channel.
Who named these places
Leopard's Tongue and Gulf of Elephants?
Then entering the lake in a blast of wind.
Then watching the Indians drop their oars
and scramble for the cold ashes
they had brought
to make their faces black,
to stay alive
when the glacier appeared
shining in the distance.


Peel back the eyelids of earth
and you will see the solemn procession
of icebergs sailing with the wind
that slashes the eyes of the dead.
At the heart of each iceberg
is the flame that steers it
into the greater death
beyond the ruptured membrane of the cell
where we all could have lived in peace.

en ambos lados del estrecho canal.
¿Quién dio nombre a estos lugares:
Lengua de Leopardo y Golfo de Elefantes?
Luego entrar al lago en una ráfaga de viento.
Luego mirar a los indios soltar sus remos
y agarrar las cenizas frías
que trajeron
para ennegrecer sus caras,
y seguir con vida
cuando apareció el ventisquero,
brillando a lo lejos.


Levanta los párpados de la tierra
y verás la procesión solemne
de témpanos navegando en el viento
que azota los ojos de los muertos.
En el corazón de cada témpano
está la llama que lo lleva
hacia la muerte mayor,
más allá de la membrana rota de la célula
donde todos podríamos haber vivido en paz.

If these charred and frozen words
were the unborn's dream of never being
that found its way into the language of the living,
if hope in its interval of space and time
were to flash its warning as a guide,
let us tell the heads of state
that the borders of their countries
have been erased and that there is nothing
left to defend but life itself.

We're the four brothers and sisters
who live all over the world:
one runs but never gets tired,
another whistles but has no mouth,
another drinks but could always drink more,
another eats but it's never enough.
Who are we?
You are the water we drink,
the air we breathe, the land we work
and the fire we use to cook and keep warm.

Si estas palabras carbonizadas y heladas
fueran el sueño de no ser de los no nacidos
que abrió su camino al idioma de los vivos,
si la esperanza en el intervalo de espacio y tiempo
destellara su advertencia como guía,
podríamos informarles a los jefes de estado
que las fronteras de sus países
han sido borradas, nada queda
por defender salvo la vida misma.

Somos los cuatro hermanos
que habitan el mundo entero:
uno corre pero no se cansa,
otro silba pero no tiene boca,
otro bebe pero no se llena,
otro come pero no se harta.
¿Quiénes somos? Son
el agua que bebemos,
el aire que respiramos, la tierra que trabajamos
y el fuego para cocinar y calentarnos.

Everyone asks about me,
but I don't ask about anyone.
Everyone walks on me,
but I don't walk on anyone.
Who am I?
You are the road,
the one we decided to take.


A forest
of trees with twelve branches,
on each branch four nests,
and in each nest seven birds.
Who are we?
You are the years,
months, weeks and days
that we want to go on living.


A thermal pulse is my pulse.
I know what it would mean.
I remember every missile
planted in my body before I was born.

Todos preguntan por mí
pero yo no pregunto por nadie.
Todos me pisan a mí
pero yo no piso a nadie.
¿Quién soy? Eres
el camino,
aquel que decidimos escoger.


Un bosque
de árboles de doce ramas,
en cada rama cuatro nidos,
y en cada nido siete pájaros.
¿Quiénes somos?
Los años, meses,
semanas y días
que queremos seguir viviendo.


Un pulso térmico es mi pulso.
Yo sé lo que significaría.
Recuerdo todos los misiles
plantados en mi cuerpo antes de que naciera.

I remember when my enemies vanished.
I remember how everything that dies
is simply an exchange for what comes alive.

Recuerdo cuándo mis enemigos se esfumaron.
Recuerdo cómo todas las cosas que mueren
no son más que un cambio por lo que nace.

When I falter, when the only light
is that sudden white flash of wavespray,
vertigo, and the mind's Finisterre
as it threshes the why from life,
something empties all thoughts
so that hand and foot obey
the hard oracle of stone
and nothing else.

This ocean wind bears salt washed
from crumbling bodies of land.
Tastes us. Lifts the sweat
from our bodies. More wine!
A friend who needed only one free hand
has brought another bottle.
The lights of the village far below,
fishing boats at rest on sand...

## los acantilados

Cuando tropiezo, cuando la única luz
es el repentino destello blanco de la espuma,
el vértigo y el Finisterre de la mente
que sacude el por qué de la vida,
algo vacía cada pensamiento
para que el pie y la mano obedezcan
el duro oráculo de piedra
y nada más.


Este viento del océano se lleva la sal
destilada de cuerpos terrenales que se quiebran.
Nos saborea. Levanta el sudor
de nuestros cuerpos. ¡Más vino!
Un amigo que requería sólo una mano libre
ha sacado otra botella.
Las luces lejanas del pueblo abajo,
lanchas de pescadores quietas en la arena…

I have come from summer cliffs
where I climbed through the night's heart,
higher than nets filled with stars.

Vengo de los acantilados del verano
que ascendí atravesando el corazón de la noche,
más alto que las redes llenas de estrellas.

## beach glass

There are two ways to heaven: one through you
and another that I really don't need.
Beauty is looking for you in the sand,
the pieces of your original light,
your broken and breaking being from waves
that keep surpassing space, erasing time,
in the foam that surges around my toes.
In the blue of I know you have no eyes,
in the white of your nonexistent bones,
in the green of I even loved you green,
in the blood-fossil-absence of your red,
in the brown arms of your earthen abyss,
there is no doubt about your presence,
since I hear you breathe in yellow silence,
taste your golden eclipse through my fingers.

## pedazos de vidrio en la playa

Hay dos senderos al cielo:  uno a través de ti
y otro que de verdad no me hace falta.
La belleza es buscarte en la arena,
los trozos de tu luz originaria,
tu ser quebradizo quebrándose en olas
que aún sobrepasan el espacio, borran el tiempo
en la espuma que surge en torno a mis pies.
En el azul de yo sé que no tienes ojos,
en el blanco de tus huesos que no existen,
en el verde de hasta te quería verde,
en la sangrienta ausencia fosilizada de tu rojo,
en los brazos morenos de tu abismo terrenal,
no presenta dudas tu presencia,
pues te escucho respirar en silencio amarillo,
saboreo tu eclipse dorado entre mis dedos.

## john dreams of patmos in gethsemane

Water ridges, breaks in his chest
and bears a carrier of life
to the shores of revelation.

The beast crawling from midnight surf
heralds not the end of time, but
a way to invade the future.

John commends himself to a scroll
while the creature teaches him hope
by dropping her eggs deep in sand.

Voices, smoke, torches, swords... Awake
for the shell-shaped ear at his feet,
John hears his Master's words as waves.

## juan sueña con patmos en getsemaní

El agua que crece rompe en su pecho,
trasladando a un portador de vida
a las orillas de la revelación.

Se arrastra fuera del mar nocturno
no la bestia que profetiza el fin
sino un modo de invadir el futuro.

A un pergamino Juan se encomienda
y la criatura le enseña esperanza,
enterrando en la arena sus huevos.

Voces, antorchas y una espada…
Juan recoge ya la oreja de caracol;
siente las olas del Verbo del Señor.

**gaudí**

Among the constellations
of honeycombs and shells,
his stone turtle,
a leatherback,
is set to swim from this life
into a sea of stars
and carry the spires
to the far shores
where brilliant eggs hatch
and genius means nothing.

## gaudí

Entre las constelaciones
de panales y caracoles,
su tortuga de piedra,
un laúd,
se alista para nadar desde esta vida
hacia un mar de estrellas
y llevarse las torres
a lejanas orillas
donde la cáscara radiante de los huevos se rompe
y el genio no significa nada.

## balcón sobre el imperio de las aguas

-Renga


Un crepúsculo de almendra inicia su descenso hacia el
                                                    [abismo.
No toda noche es buena para respirar esta atmósfera
que alimenta una sed ancestral.
Una bandada de pelícanos cruza el mar de Pochomil.
La piscina de Tiberio jadea en su silencio imperial
y cien limones zaheridos deja la mar sobre la playa,
las bajas solitarias de la batalla del día
al amor imposible del beso de la espuma.
¡No hay reglas!  Los huesos descarnados del pargo
brillan extrañamente entre los restos del banquete
                                            [inolvidable,
pero el emperador flota sobre un espejo
donde las aguas reflejan el aura de las buganvillas.
En el centro del agua la niña emerge como un haz
                                                [de luz
junto al vaivén de los pastores y las veraneras.
Tiberio ve cortado al crepúsculo el sol

y añora en la pasión de la pupila
la fruta con la mano desgajada.
¿Seremos jóvenes para siempre
o tan pasajeros como un dulce níspero del paraíso?
Pero hay un dolor que abreva en la sombra
como este caballo de piedra que hunde su lengua en
[el aire.
Una marea de cetáceos acuchilla la superficie del mar
con páginas filosas de antiguos marineros: las rocas,
como un enorme ataúd, reciben el beso de las olas
[doradas
por el cárdeno color del crepúsculo que persiste.
Con el emperador desciende la noche
y el primer lucero se expande, instintivo extiende la
[mano,
y en la distancia de gelatina cósmica
lo toma entre sus dedos y lo atrae al agua.
La noche será nuestra, queridos amigos,
sin aletas, sin dientes, sin luz.
¿Habrá tanto fuego que se consume en el tiempo
como esta distancia entre el poeta y la aurora?

Las aves siguen hendiendo el aire.
Los peces ven a través de cristales algo de la otra vida.
Lejanas embarcaciones saludan desde el horizonte.
¿Es hora de partir?
Entonces, es mío, es nuestro, el resplandor
del último lucero, las buganvillas, el agua
y el llanto de la sirena en la espera
que nos aguarda y que conocemos.

*Álvaro Urtecho, Rafael Vargarruiz, Juan Carlos Vilches,*
*Steven White*
*El Madroñal, 13 de enero de 2000*

# Índice

este libro se terminó de imprimir en Madrid,
en el mes de mayo de 2003.